Non, non et non !

ISBN 978-2-211-07027-0
Première édition dans la collection *lutin poche* : février 2003
© 2001, l'école des loisirs, Paris
Loi numéro 49 956 du 16 juillet 1949 sur les publications
destinées à la jeunesse : septembre 2001
Dépôt légal : octobre 2021
Imprimé en France par Clerc SAS à Saint-Amand-Montrond

Mireille d'Allancé

Non, non et non !

les lutins de l'école des loisirs
11, rue de Sèvres, Paris 6ᵉ

Aujourd'hui, Octave va à l'école
pour la première fois.
«Tu vas voir», dit Maman, «l'école, c'est épatant.»

«Tu vois, ici, c'est ta classe et là,
on accroche son manteau.
Tu me le donnes?»

« Non ! » dit Octave.

«Bonjour», dit la maîtresse.
«Alors, c'est toi Octave?»

« Non ! » dit Octave.

«Allons», dit Maman, «sois raisonnable.
Tout à l'heure je reviendrai te chercher.
Tu me fais un bisou?»

« Non ! » dit Octave.

La maîtresse fait entrer
Octave dans la classe.
«Les enfants, je vous présente
Octave. Nous allons
lui montrer notre classe.»
«Non!» dit Octave.

«Tu sais jouer aux puzzles ?»
demande Jeanine.
« Non », dit Octave.

«Je crois qu'il ne sait pas dire oui», s'inquiète Jeanine.
« Ça m'étonnerait », dit Raoul, « attends, tu vas voir … »

« Regarde, Octave, c'est mon dernier bonbon.
Tu le veux ? »

« Non ! » dit Octave.

«Venez voir ça, Octave, il aime pas
les bonbons!»

«Où ça, où ça, des bonbons?»
«Là, j'en avais laissé un sur la table et il a disparu.»

« Octave, avoue, c'est toi qui l'as ! »

« Non ! » dit Octave.

«Alors c'est toi, Guillaume ! »
« Non ! »
« C'est toi, Kévin ? »
« Non ! »
« Robert ? »
« Non ! »

« Devinez un peu
ce que j'ai dans le dos »,
dit la maîtresse.

« Des bonbons pour tout le monde !
Et dépêchons-nous, les mamans sont là ! »
Celle d'Octave est arrivée la première.
« Coucou, Octave, je suis là ! »

Mais Octave n'a rien remarqué.
« Alors, Octave, tu viens oui ou non ? »

Non !